D1194066

REJETÉ
DISCARD

$17.961

04/10

Guido van Genechten

Les fantômes, ça existe...

ou pas?

Mijade

BEACONSFIELD
BIBLIOTHÈQUE · LIBRARY

Joachim se tourne et se retourne dans son lit.
Il ne parvient pas à s'endormir.
Sous le lit, quelque chose fait du bruit.
Crrr… Crrr…

…Crac!
«Papa!» crie Joachim.
«Il y a un fantôme sous mon lit!»

Papa arrive.
«Les fantômes, ça n'existe pas»,
dit-il d'une voix rassurante.
«Regarde: il n'y a rien sous ton lit.»
«Pourtant, j'ai entendu **Crac!**» proteste Joachim.
«Ça, c'est ton lit qui craque», explique Papa.
«Essaie de moins remuer et ça s'arrangera.
Bon, je te laisse la lumière. Dors bien, Joachim.»

Joachim ferme les yeux.
Il fait attention à ne pas bouger,
comme son papa le lui a recommandé.
«Il n'y a pas de fantôme sous mon lit»,
se répète-t-il tout bas.
Fffououou… Fffffououou…

« Papa ! »

« Me voilà », dit Papa.

Joachim lève une aile tremblante :

« Le fantôme ! Il est derrière la tenture ! »

« Les fantômes, ça n'existe pas », dit encore Papa.

« Regarde : il n'y a rien là derrière. »

« Pourtant, j'ai entendu **Ffffououou… Ffffououou…** »

« Ça, c'est le vent dans les arbres », explique Papa.

« Allons, dors maintenant. »

Joachim s'enfonce sous les couvertures.
«Il n'y a pas de fantôme sous mon lit», se répète-t-il tout bas.
«Ni derrière la tenture. Alors, peut-être que…»
Kicli… coulecli… glou…

« Papa ! Papa ! » crie Joachim.

« Le fantôme ! Il est dans l'armoire ! »

« Écoute-moi bien, mon petit », dit Papa.

« Les fantômes, ça n'existe pas, crois-moi.
Regarde dans l'armoire : pas l'ombre d'un fantôme. »

« Pourtant, il a dit **Kicli… coulecli… glou…** »

« C'est le radiateur qui fait ce bruit-là », explique Papa.

« Maintenant, tu dois dormir, fiston ! »

« Il n'y a pas de fantôme sous mon lit.
Ni derrière la tenture.
Ni dans l'armoire », se répète Joachim tout bas.
« Alors, peut-être que… Papaaaaaa ! »

«Qu'y a-t-il encore, Joachim?» soupire Papa.
«Dans le coffre», chuchote Joachim.
«Cette fois, j'en suis sûr: c'est là qu'il se cache!»
«Enfin, Joachim, il n'y a que des jouets dans le coffre.
Regarde: pas le moindre fantôme!»

«Et s'il s'était mis sous le tapis?»
«Non, Joachim, il n'est pas sous le tapis.
Il n'y a pas de fantôme dans ta chambre, ne t'en fais pas.»

«Peut-être… derrière la porte?
Tu veux bien regarder, Papa, juste une dernière fois?»
«C'est bien parce que c'est toi», grommelle Papa.
«Voilà, regarde: il n'y a pas de fantôme là non plus.
Tu es d'accord?»
«Oui», répond Joachim.

«Tu peux dormir tranquille.
Je t'assure, il n'y a absolument pas de fantôme ici.»
«Je le sais bien, Papa», dit Joachim.
«Tu les as tous chassés!»

«Si tu le dis… Bon, maintenant,
je m'en vais. Dors bien, mon petit!»
«Dors bien aussi, mon petit papa.»